As-tu vu?

Le
Football

D1404400

Le ballon

Un ballon de football est de forme ovale et est fait de cuir brun. Il mesure environ 28 cm, c'est-à-dire la taille d'un caniche miniature, et il pèse autour de 400 grammes.

Pour te donner une idée, c'est le poids d'un écureuil gris !

Le ballon et le cochon

En anglais, le ballon est surnommé pig skin, ce qui veut dire « peau de cochon ». Ce surnom tient son origine des premiers ballons de football qui étaient faits avec de la peau de porc !

Le terrain

Lorsqu'un joueur de football parcourt le terrain en entier, il franchit environ 100 mètres, soit 2 fois la longueur d'une piscine olympique.

Le gazon

Les terrains de football sont généralement constitués de gazon synthétique puisque cela demande beaucoup moins d'entretien que le gazon naturel.

Pour recouvrir un terrain de football, on a donc besoin de plus de 7 000 m² de pelouse synthétique, ce qui équivaut environ à 4 patinoires de hockey !

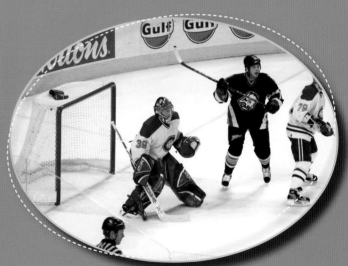

Crédit photo : Ryan Morgan / Shutterstock.com

Les arbitres

Crédit photo : Mike Flippo / Shutterstock.com

Lors d'un match de football canadien, on retrouve un arbitre en plus de sept officiels sur le terrain. Ceux-ci apparaissent par exemple à titre de juge de touche, de juge de ligne et de juge de champs.

Crédit photo :
Mike Flippo /
Shutterstock.com

Le chandail des arbitres est rayé comme un zèbre. Savais-tu que tous les zèbres avaient des rayures différentes et qu'ils étaient tous uniques ? Ce n'est pas le cas des chandails d'arbitres !

Le casque

Le casque de football est en plastique et il est aujourd'hui muni d'une grille pour protéger le visage. Il s'agit de l'élément le plus lourd de l'équipement d'un joueur; le casque d'un joueur adulte atteint généralement 5 livres, ce qui correspond environ au poids d'un chat domestique de taille moyenne !

Le cheerleading

Un match de football dure 60 minutes et il est divisé en 4 quarts de 15 minutes chacun. À la mi-temps, il y a une pause durant laquelle les spectateurs peuvent se dégourdir les jambes ou assister à un spectacle de cheerleading.

Crédit photo :
aceshot1 / Shutterstock.com

Le cheerleading est considéré comme l'un des sports les plus dangereux au monde, car les risques d'accident sont très élevés !

Le stade

Lorsqu'ils sont à domicile, les Alouettes de Montréal jouent au stade Percival-Molson, près de l'Université McGill. Ce stade peut accueillir environ 25 000 personnes, ce qui correspond environ à la population de Magog ou à celle de Sept-Îles réunie en un seul endroit ! Lorsque la finale de la Coupe Grey se tient à Montréal, elle se joue au stade olympique, qui peut quant à lui accueillir 65 000 personnes. C'est environ la population de Chicoutimi !

Les origines

C'est en 1868 que se déroule le premier match de football canadien sur des terrains de cricket du centre-ville de Montréal. C'est lors de la même année que l'on assiste à la formation du Montreal Football Club, soit la première équipe officielle et non universitaire de football canadien.

La Ligue canadienne de football a quant à elle été créée en 1958, soit la même année que la création de la NASA aux États-Unis !

La Ligue canadienne de football

La Ligue canadienne de football (LCF) est composée de 8 équipes : 4 font partie de la division de l'Ouest et 4 font partie de la division de l'Est. Au Québec, on retrouve les Alouettes, et à Vancouver, les Lions de la Colombie-Britannique.

Lorsque les Alouettes doivent jouer un match à Vancouver, ils doivent parcourir 3 700 km. Pour te donner une idée, cela représente 74 fois la longueur de l'île de Montréal ou 16 fois la longueur de l'île d'Anticosti !

Les Alouettes

Crédit photo : Mike Rogal / Shutterstock.com

L'équipe des Alouettes de Montréal fait partie de la LCF. Elle a été fondée en 1946 avant d'être dissoute en 1987 en raison de problèmes financiers. Après quelques années à Baltimore, l'équipe revient à Montréal en 1996 et adopte le nom des Alouettes.

L'équipe porte le nom d'un oiseau migrateur. L'alouette hausse-col que l'on retrouve au Canada mesure près de 20 cm, ce qui correspond environ à la hauteur de ton As-tu vu ?

La Coupe Grey

La Coupe Grey est le nom que l'on donne au championnat et au trophée remis à l'équipe qui remporte la grande finale de la LFC. Le trophée est réutilisé chaque année et on y grave le nom des joueurs et des entraîneurs de l'équipe championne. La Coupe Grey attire beaucoup de spectateurs et rassemble chaque année plus de 4 millions d'auditeurs. Pour te donner une idée, cela correspond à la population de la Colombie-Britannique ou à celle de la Croatie !

Records canadiens

Damon Allen est une légende du football canadien, car il s'agit du plus grand passeur de l'histoire du football professionnel. Tout au long de sa carrière, il a réussi a gagné 72 381 verges (55 185 mètres) grâce à ses passes.

Il détient aussi le record de la plus longue passe complétée avec 109 verges, soit 100 mètres. C'est environ 5 fois la profondeur moyenne du lac Érié !

Le football américain

Aux États-Unis, le football est plus qu'un sport : c'est une véritable religion qui représente le même type d'engouement que le hockey au Canada.

Chaque année, près de 100 millions d'Américains écoutent le Super Bowl, la finale du championnat de la Ligue de football américain (NFL). Cela représente environ le triple de la population canadienne !

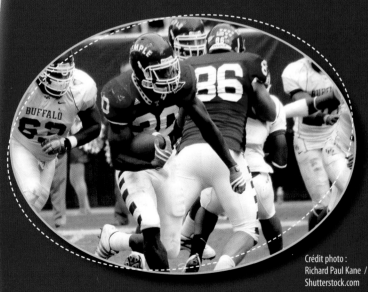

Le Super Bowl

Crédit photo :
Mike Norton /
Shutterstock.com

Comme la finale du championnat de la NFL ne se dispute qu'en une seule partie et qu'il s'agit du sport national des États-Unis, le Super Bowl est un événement de télévision très important aux États-Unis. Les gens se réunissent le dimanche de la finale pour regarder le match en famille ou entre amis.

Des records de cotes d'écoute sont atteints et les annonces publicitaires coûtent donc très cher. Par exemple, une annonce de 30 secondes peut coûter plus de 2 millions de dollars à une compagnie ! Cela équivaut au prix d'environ 10 000 consoles de Wii ou d'environ 30 voitures Porsche !

Crédit photo :
Max Earey /
Shutterstock.com

Gouvernement du Québec – Programme de crédit d'impôt
pour l'édition de livres – Gestion Sodec

info@lesmalins.ca

Éditeur: Marc-André Audet
Textes: Annabelle Tas
Recherche: Annabelle Tas
Conception graphique et montage: Energik Communications

Dépôt légal – Bibliothèque et Archives nationales du Québec, 2011
Dépôt légal – Bibliothèque et Archives Canada, 2011

ISBN: 978-2-89657-128-4

Imprimé au Canada

Les éditions Les Malins inc.
1447, rue Wolfe
Montréal (Québec)
H2L 3J5